Les Éditions du Boréal
4447, rue Saint-Denis
Montréal (Québec) H2J 2L2
www.editionsboreal.qc.ca

LA PEUR

DU MÊME AUTEUR

La Chasse aux millions. L'avenir industriel du Canada-français, Québec, Crédit industriel ltée, 1921.

Marcel Faure, Montmagny, Imprimerie de Montmagny, 1922.

Pages de critiques. Sur quelques aspects de la littérature française au Canada, Québec, Imprimerie Le Soleil, 1926.

L'homme qui va…, Québec, Imprimerie Le Soleil, 1929; Montréal/New York, Louis Carrier et compagnie/Les Éditions du Mercure, 1929; Montréal, Éditions de l'Homme, 1967.

Les Demi-civilisés, Montréal, Éditions du Totem, 1934; Montréal, Éditions de l'Homme, 1962; 1966; Montréal, L'Actuelle, 1970; Montréal, Les Quinze éditeur, 1982; Montréal, Presses de l'Université de Montréal, 1988; Montréal, Éditions Typo, 1993. (*Sackcloth for Banner,* Toronto, Macmillan Company of Canada, 1938; *Fear's Folly,* Ottawa, Carleton University Press, 1982.)

Sébastien Pierre, Lévis, Éditions du Quotidien, 1935; Montréal, Stanké, 1985.

Jeunesse, Lévis, Éditions de Vivre, coll. « Les Cahiers noirs », 1935.

Art et Combat, Montréal, Éditions de l'A.C.F., 1937.

French Canada at War, Toronto, Macmillan Company of Canada, 1941.

Les grenouilles demandent un roi, Montréal, Éditions du Jour, 1943. (*The Eternal Struggle,* Toronto, Forward Publishing Company, 1943.)

Les Armes du mensonge, Montréal, La Patrie, 1945. (*The Weapons of Falsehood,* Montréal, La Patrie, 1945.)

L'Épidémie des grèves, 1945.

L'U.R.S.S., paradis des dupes, Montréal, La Patrie, 1945. (*U.S.S.R. A Fool's Paradise,* Montréal, La Patrie, 1945.)

Les Paradis de sable, Québec, Institut littéraire du Québec, 1953.

La Fille du silence, Montréal, Éditions d'Orphée, 1958.

Pourquoi je suis antiséparatiste, Montréal, Éditions de l'Homme, 1962.

Visages du Québec, Montréal, Cercle du Livre de France, 1964. (*The Many Faces of Québec,* Toronto, Macmillan of Canada, 1966.)

Des bois, des champs, des bêtes, Montréal, Éditions de l'Homme, 1965.

Jean-Charles Harvey

LA PEUR

Préface d'Yves Lavertu

Boréal

Les Éditions du Boréal remercient le Conseil des Arts du Canada
ainsi que le ministère du Patrimoine canadien et la SODEC
pour leur soutien financier.

Photo de la couverture : Jean-Charles Harvey à son bureau
de la rue Sainte-Catherine, en 1939 (Fonds M.-A. Gagnon, BNQ, Montréal).

Dépôt légal : 2e trimestre 2000
Bibliothèque nationale du Québec

Diffusion au Canada : Dimedia
Diffusion et distribution en Europe : Les Éditions du Seuil

Données de catalogage avant publication (Canada)

Harvey, Jean-Charles, 1891-1967

La Peur

(Boréal compact ; 116)

ISBN 2-7646-0040-2

1. Église catholique – Québec (Province) – Influence. 2. Cléricalisme.
3. Peur. I. Titre.

FC2919.H37 2000 971.4'03 C00-940356-6

F1052.H37 2000

Ce texte est paru pour la première fois dans Le Jour *du 12 mai 1945.*

Préface

La journée du 7 mai avait pourtant commencé comme toutes les autres, avec des rues propres et calmes. Bref, il s'agissait là d'un lundi matin ordinaire tel que pouvait en vivre la métropole depuis bien des années. Mais vers 9 heures 35, la radio annonça le début des festivités. D'abord, on ne voulut pas y croire, en tout cas bien des gens restèrent sceptiques. Mais devant la ténacité de la radio qui martelait le même message, il fallut se rendre à l'évidence, d'autant plus que le démenti se faisait toujours attendre : l'Allemagne était enfin vaincue. Sa reddition avait eu lieu à Reims, plus de douze heures auparavant.

Alors, Montréal plongea dans le délire. Au centre de la ville, les employés de bureau et ceux des grands magasins s'empressèrent de déchiqueter journaux, bottins et magazines pour les réduire en confettis. Du haut des édifices, on les lança ensuite par les fenêtres. Les nuages de papier se promenèrent ainsi sous le soleil de mai avant de se déposer sur une chaussée envahie par la foule. Celle-ci empêchait alors les tramways de la rue Sainte-Catherine d'avancer normalement. Aux cris des fêtards, au bruit des carillons d'église se joignait aussi le tintamarre des klaxons d'auto où s'agrippaient des passagers paradant dans un défilé bordé de drapeaux.

À peine la rumeur s'est-elle tue que, le surlendemain, le mercredi 9 mai 1945, Jean-Charles Harvey, vigile de choc dans cette guerre, s'en va donner, à cinquante-trois ans, la conférence la plus importante de sa vie. Le directeur du Jour *se rend au Montreal High School de la rue Université. L'Institut démocratique canadien l'a invité à prononcer une causerie pour souligner le deuxième anniversaire de l'organisme.*

Celui-ci veut servir de forum, voire de sanctuaire, pour les idées progressistes au Canada français. Un vieil ami, Télesphore-Damien Bouchard, en est le président, lui qui l'année précédente s'était fait destituer de son poste de président du conseil d'administration d'Hydro-Québec. À Ottawa, au Sénat, le 21 juin, il avait prononcé un discours enflammé sur l'enseignement de l'histoire et surtout sur l'Ordre de Jacques-Cartier, société secrète canadienne-française sur laquelle Jean-Charles Harvey avait déjà enquêté. T.-D. Bouchard avait provoqué un scandale. Espérant apaiser la clameur, le premier ministre Godbout l'avait aussitôt sacrifié en le congédiant de la société d'État. Dans la presse de langue française, seuls Le Jour, Le Clairon *de Saint-Hyacinthe et l'hebdo de gauche,* La Victoire, *s'étaient véritablement portés à sa défense.*

Lorsque le directeur de l'Institut, Maurice d'Hont, lui a demandé le sujet de sa conférence, Jean-Charles Harvey lui a répondu : « la peur ».

— La peur de quoi ? s'est enquis son interlocuteur.

— Vous le savez aussi bien que moi, a-t-il rétorqué.

Maurice d'Hont a vite compris et n'a plus insisté. Il s'est plutôt mis à rire. Il était inutile de pousser l'auteur des Demi-civilisés *à préciser davantage, d'autant plus qu'Harvey, depuis qu'il était à la barre de son journal, soit depuis plus de sept ans, avait déjà semé l'idée.*

Le directeur du Jour *va livrer le fruit de ses réflexions en saisissant le problème par un mot-clé : la peur. C'est l'une des rares fois, peut-être la première, qu'un conférencier canadien-français s'adresse à un auditoire composé de compatriotes en allant aussi loin, aussi franchement, aussi nettement, sur ce thème.*

En inaugurant la soirée au Montreal High School, T.-D. Bouchard met déjà en valeur les propos qui vont suivre. « J'éprouve, déclare-t-il, un vif plaisir à vous présenter ce soir un homme aussi estimable par sa vigueur intellectuelle que par son courage ; un journaliste de haute et large culture dont le panache est toujours à l'avant-garde des forces démocratiques et dont la plume ardente attaque sans relâche les préjugés, l'étroitesse d'esprit et le fanatisme sous quelque forme qu'ils se présentent. » Il y a là pas moins de 1 200 personnes ; des membres de l'élite libérale pour la plupart. Plusieurs d'entre eux, on peut en être sûr, endossent sans réserve ses propos.

C'est alors au tour de Jean-Charles Harvey de prendre la parole. Tout son discours est un lent crescendo adroitement construit. Sur un ton chaleureux, presque intimiste, il entreprend d'abord de gagner son auditoire en relatant deux anecdotes amusantes. L'une concerne ses démêlés avec les bourdons ; l'autre nous transporte dans l'univers de son enfance à Saint-Irénée, plus précisément dans le cimetière du village dont, par un soir d'audace, il a franchi la clôture. Son récit se rapproche de celui d'un conteur d'histoires tel qu'il en a sûrement connu. Il titille l'imagination. On ne peut s'empêcher de voir en pensée le jeune Jean-Charles errant en ces lieux par un soir de pleine lune, avec en arrière-plan les côtes de Saint-Irénée, où la masse noire du fleuve ajoute à l'obscurité.

Mais tout cela n'est que préambule, entrée en matière. « Alors je reviens à la question, poursuit-il. De quoi avons-nous peur ? Eh bien, nous avons peur de la puissance suprême, de la puissance à laquelle vous pensez tous en ce moment et que personne d'entre vous n'ose nommer. » Dans la salle, les rires fusent, certains francs, d'autres plus jaunes.

Mais voilà, il arrive à la moitié de son discours, et il est temps de livrer le fond de sa pensée :

« La seule puissance qui, dans cette partie du Canada, fait trembler tout le monde, c'est la puissance cléricale. » Cette fois, on ne rit plus, on applaudit. Harvey a enfin osé : il a nommé les choses, ou plutôt la chose. Et il accepte d'en payer le prix.

Son allocution dure plus d'une heure. Hormis une certaine complaisance à l'égard des milieux d'affaires, l'orateur s'y révèle tel qu'il est foncièrement, c'est-à-dire un humaniste sincère. Avec une finesse d'analyse psychologique qu'il doit peut-être à son passage chez les jésuites, il décortique chacun des mécanismes de la peur chez ses compatriotes.

La dernière partie de son texte est vibrante. Il ne peut enchaîner deux phrases sans se faire interrompre par des applaudissements. Déjà, ceux-ci ont ponctué une bonne partie de son discours. L'émotion atteint son paroxysme quand il prononce ces mots : « Il ne faut pas que, sur cette terre d'Amérique, citadelle de toutes les libertés, centre du monde démocratique, ce soient les descendants de la France qui aient le plus lourd fardeau de peur et le moins de libertés. »

À peine a-t-il cessé de parler que sa harangue est accueillie par une longue ovation. Ce soir-là,

Jean-Charles Harvey vit une sorte d'apothéose ; la consécration de sa carrière de combattant. Tout homme est un combattant, il vient de l'affirmer à peine quelques instants auparavant. Le discours sur la peur est un signe des temps, estiment pour leur part les organisateurs. Il clame tout haut ce qu'un grand nombre de Canadiens français veulent entendre. Le principal intéressé en ressort gorgé de satisfaction. L'événement mérite, selon lui, d'occuper une place importante dans les journaux. Mais les choses ne se passent pas ainsi.

La réaction de la presse montréalaise fait plutôt la démonstration par l'absurde de la pertinence de ses propos. The Gazette, quotidien de langue anglaise pourtant, passe sa causerie sous silence. En guise d'explication, un chef de service confie à Harvey que le quotidien a choisi de ne rien dire afin de le « protéger ». The Star s'abstient également de commenter sa conférence. C'est seulement sur ses instances que le journal se résout à publier un bref résumé.

La presse de langue française adopte une attitude différente mais tout aussi significative. Oui, on en parle, mais jugez de quelle façon. Dans les comptes rendus, il n'est question que de peur du *risque et de peur des fantômes. Nulle part, on aborde le cœur de la conférence : le cléricalisme et la peur de la puissance cléricale. Avec une information aussi édulcorée, il n'est pas possible pour le lecteur de se faire une idée de ce à quoi Jean-Charles s'est attaqué ce mercredi soir-là. Bref, et la chose est claire, les journaux n'ont pas voulu se faire les porteurs d'une telle charge.*

Il faut attendre la publication de la conférence sous forme de brochure quelques mois plus tard pour que ce silence soit brisé. Grâce aux bons soins de T.-D. Bouchard, La Peur *figure en bonne place dans le premier numéro des* Feuilles démocratiques, *celui de septembre 1945. Dès lors, les propos d'Harvey sont diffusés à des milliers d'exemplaires et reçoivent un accueil similaire à celui qu'on leur avait fait le 9 mai. Pendant des semaines, lettres, télégrammes et coups de téléphone de félicitations affluent aux bureaux du* Jour. *Une traduction anglaise du texte est même publiée.*

Discours d'avant-garde, discours branché sur la modernité, discours voulant marquer une rupture, La Peur *doit être placée à la hauteur d'un écrit du même ordre lancé trois ans plus tard, le*

9 août 1948, c'est-à-dire Refus global. *La conférence d'Harvey répandue à la manière d'un tract n'a pas eu la portée du manifeste des Automatistes. Mais le lecteur est aujourd'hui en position d'établir des parallèles. Certes, il serait assez facile de s'en tenir aux différences bien sûr multiples, qu'il s'agisse du ton, du style, du genre littéraire, des thèmes abordés, sans compter le sort qu'a réservé la postérité aux deux brûlots. Une fois sorti de son purgatoire,* Refus global *a connu des rééditions successives en plus de s'attirer une diversité de commentaires et de jugements. Ce ne fut pas le cas de* La Peur.

Mais cette peur justement unit les deux textes. Quatorze fois, la peur est nommée dans Refus global, *et cela dès les premières lignes. Colonie précipitée rapidement dans les murs lisses de la peur, explique Paul-Émile Borduas, le Canada français en est la victime, que ce soit la peur des préjugés, de l'opinion publique, des persécutions, d'être seul sans Dieu, la peur de soi, de l'ordre établi, la peur des relations neuves, du surrationnel, des nécessités, la peur des écluses grandes ouvertes sur la foi en l'homme, etc. Bref, qu'elles soient rouge, blanche ou bleue, y lit-on, ces peurs sont autant de maillons de notre chaîne.*

Si, dans cette liste, il n'est pas question de la peur de la puissance cléricale, l'ensemble forme un faisceau qui la désigne indubitablement. Elle se laisse facilement reconnaître derrière la peur bénie par le goupillon ou encore sous les habits de la crainte de l'ordre établi. Elle est présente aussi dans cette peur d'être seul sans Dieu. Et puis, nul besoin de chercher vraiment. Refus global *abonde en allusions à ces soutanes dépositaires de la foi, du savoir, de la vérité et de la richesse nationale ou à ces maisons d'enseignement, héritières de l'autorité papale et grands maîtres des méthodes obscurantistes.*

Si Refus global *est toujours d'actualité, la chose est certainement aussi vraie pour* La Peur. *Découvrir la conférence du 9 mai 1945 des décennies après qu'elle fut prononcée, c'est encore aller à la rencontre d'une pensée libre. Bien sûr, on ne peut lire ce texte comme on le faisait au sortir de la guerre. Mais chaque jour qui passe en cette époque de conformisme le rend un peu plus nécessaire. Et c'est pourquoi* La Peur *peut revendiquer aujourd'hui comme hier sa place parmi les manuels du révolté en mal de changement.*

Yves Lavertu

Mesdames et Messieurs,

Ce n'est pas un plaidoyer contre la peur que vous allez entendre. Il y a des peurs salutaires. Quand on enseigne au petit enfant à ne pas se laisser rouler dans l'escalier, parce que ça fait mal à la tête, à ne pas se jeter devant un camion, parce que cette voiture est plus dure que son crâne, à ne pas s'aventurer trop loin dans la rivière ou le lac, parce que l'immersion empêche de respirer, à ne pas jouer avec le feu, parce que la maison peut y passer avec ses habitants, eh bien ! tout ça, c'est l'enseignement de la peur qui est alors la prudence élémentaire. Tous les parents la pratiquent, sauf ceux d'entre eux qui désirent confier au hasard des accidents le soin de les débarrasser d'une trop nombreuse progéniture, cas plutôt rare chez nous.

La peur s'enseigne aussi par la loi des conséquences. Le petit bonhomme de trois ou quatre ans qui se brûle les doigts en frottant une allumette prise à la dérobée craindra toute sa vie la douleur d'une brûlure et, plus tard, le tableau terrible de l'enfer suffira à le maintenir dans le droit chemin ; quiconque aura connu la sensation que produit, dans tout l'être, une porte fermée sur un doigt égaré au mauvais endroit, évitera désormais de laisser traîner sa main dans la même fente ; quand on a connu l'effet cuisant de quelques piqûres d'abeilles, on fait naturellement un détour chaque fois qu'on se trouve dans le voisinage d'un rucher. La loi des conséquences n'est en somme qu'un des nombreux aspects de l'expérience, que l'on appelle l'école des imbéciles. Je crois bien qu'à ce point de vue, nous sommes tous plus ou moins des imbéciles, car tous nous avons peur de quelqu'un ou de quelque chose.

* * *

Quant à moi, j'avoue que les plus grandes terreurs de ma vie m'ont été inspirées par un insecte. Pour avoir insulté un moucheron, nous apprend La Fontaine, un lion faillit mourir sous l'aiguillon de cet insaisissable ennemi. Comme je ne suis pas un lion, je ne me sens nullement humilié de confesser que le bourdon jaune a failli plus d'une fois me causer des accidents mortels. Un jour chaud d'été, voyageant en automobile dans la campagne au nord de la vieille capitale, je dus stopper en face d'une maison de ferme pour demander un renseignement. Je m'acheminais tout droit vers cette maison, à quelque cent pieds du chemin, quand un énorme chien policier fonça vers moi, mine hostile et crocs en bataille. J'eus d'abord un mouvement d'arrêt, oh très léger, mais comme on me regardait et que je n'ai jamais tant redouté que la réputation d'avoir peur des chiens, je continuai sans broncher, apparemment calme et impavide. La bête me laissa passer puis me suivit sur les talons jusqu'à la porte. J'avais vaincu la peur, par orgueil sans doute, et quand je revins vers ma voiture je pensais, avec un petit chatouillement de vanité, qu'on avait dû me trouver bien brave. Mais attendez. Nous étions en juillet. L'air était peuplé de senteurs de miel et de bruits d'ailes. Des insectes venaient s'écraser sur mon pare-brise, alors que je faisais du quarante à l'heure. Tout à coup, un bourdon jaune, énorme, entre par une fenêtre, fait deux tours à l'intérieur, se frappe d'une vitre à l'autre, se colle aux chapeaux, aux cheveux, aux épaules des voyageurs, vient me parler à l'oreille, nous affole tous. Alors j'eus peur. Je ne m'occupais plus du volant, ne savais plus ce que je faisais. L'auto zigzaguait sur la route comme un homme ivre. Trois ou quatre fois, elle alla d'un fossé à l'autre, échappant comme par miracle à la promenade en plein champ ou à l'accrochage du poteau de téléphone. Enfin, on stoppe, on ouvre les portes toutes grandes, et l'insecte s'envole : « Comme il sonna la charge, il sonna la victoire. » Etrange mystère, de la peur ! j'avais bravé un chien qui pouvait me dévorer ; j'avais failli me tuer avec toute ma famille par la terreur que m'inspirait un insecte. Singulière contradiction, direz-vous. Non pas. Dites plutôt que je n'ai jamais été mordu par un chien, alors que j'ai été bel et bien piqué par un bourdon jaune. Cela remonte très loin. J'avais sept ans. Je me promenais dans un chemin de campagne, en compagnie de gamins de mon âge. Tout le long de la chaussée, il y avait des marguerites et des chardons. Sur les fleurs bleues des chardons, il y avait des bourdons, en langage populaire, des taons. Avec une mine de fier-à-bras qu'affectent parfois les enfants, je saisissais ces insectes les uns après les autres et les écrasais entre le pouce et l'index. « Vous voyez, leur disais-je, c'est pas si dangereux que ça. Essayez, pour voir. » Pas un n'osait. À la fin, j'avisai un bourdon très gros, si gros que la fleur en ployait. « Regardez-moi faire », dis-je. Et j'y allai, bravement. Cette fois, je fus piqué. Je jetai un cri et courus à toutes jambes vers la maison, suivi des éclats de rire de mes petits camarades. Jamais dans la suite je n'oubliai la leçon. Depuis ce temps-là, chaque fois que je me trouve en présence d'un bourdon jaune, je prends la fuite.

* * *

Je crois que la peur, et son contraire, la bravoure, se cultivent dans l'enfance. Il se peut que l'abus des histoires de revenants, l'épouvantail du Bonhomme Sept Heures pour faire coucher les petits, l'obéissance imposée à coups de gifles ou de trique, les vives descriptions du feu éternel et les constantes promesses de châtiments corporels en ce monde et dans l'autre aient pour effet de créer, chez les tout jeunes, une psychose de peur qui les suit partout dans la vie. Un peuple qui mettrait à la base de l'éducation le vieux proverbe : « La crainte est le commencement de la sagesse », serait impropre au risque, à l'aventure, à la promenade vers l'inconnu : ce peuple-là fuirait devant son ombre.

Il y eut une époque, pas très lointaine, où l'on croyait ferme, dans nos campagnes, que les morts pouvaient revenir sur la terre, soit pour tirer vengeance d'un ancien ennemi, soit pour amener quelqu'un au repentir de ses fautes, surtout pour demander la libération du purgatoire par quelques grands-messes. Que de terrifiantes histoires de revenants n'avons-nous pas entendues dans notre enfance ! Par bonheur, ma mère, qui avait beaucoup de bon sens, n'en croyait rien et son scepticisme déteignait sur son fils. Je décidai un soir de m'accoutumer au voisinage des morts. J'avais dix ans. Comme je passais près de la petite église de Saint-Irénée en Charlevoix, église flanquée, comme tant d'autres, de son cimetière, je m'arrêtai à regarder, de loin, les modestes épitaphes de pierre, de marbre ou de bois qu'argentaient les rayons de la lune. Puis je m'approchai doucement, prudemment, en repassant dans ma mémoire ces histoires que j'avais entendues sur les décédés qui reviennent, la nuit, remplir d'effroi les vivants : voix lugubres de damnés surgissant de terre pour maudire le complice de leur crime ; lamentations d'une âme du purgatoire implorant la prière des parents et des amis ; fantômes blancs, traversant, silencieux et solennels, l'ombre d'une maison endormie ; avertissements macabres, menaces, mystérieux pressentiments soufflés à l'oreille du pécheur endurci. Alors j'eus l'étrange curiosité, le désir, d'avoir peur pour de bon, de braver la peur, d'appeler de tous mes vœux l'apparition réelle d'un de ces fantômes qui, souvent, avaient hanté mes nuits. Et j'entrai résolument sur la terre des disparus. Je traversai, d'abord hésitant, le regard tendu, l'oreille attentive au moindre bruit, ce champ couvert de stèles et d'inscriptions macabres. À mesure que j'avançais, je hâtais le pas, puis de plus en plus vite, jusqu'à ce que je me retrouvai, essouflé, à la petite barrière qui fermait l'entrée du cimetière. J'avais eu peur, mais je me rendis compte que rien ne m'était arrivé, rien : pas de voix, pas de fantômes, pas d'avertissements, pas de boules de feu sur les tombes. C'est à partir de ce moment là que je perdis la foi aux revenants. Et c'est peut-être pour cette raison que j'ai passé ma vie à prendre des risques.

* * *

Avec l'expérience, on apprend qu'il est des êtres et des choses qu'il faut craindre et d'autres qu'il faut braver. Une fois qu'on est parvenu à l'âge adulte et qu'on est débarrassé des terreurs qui troublèrent son enfance, il faut savoir que la vie est un combat, que chaque homme est un combattant et que ses succès et ses échecs dépendent en très grande partie de l'audace et de la hardiesse qu'il saura déployer dans la lutte incessante contre une multitude de forces concurrentes et rivales ou contre les puissances d'asservissement et de domination. La vie est un combat!

Toutes les grandes existences se sont faites dans la lutte, lutte de l'esprit, lutte de l'épée, lutte des passions, lutte de la chair et du sang. Toutes les aventures qui comptent dans l'humanité, toutes les conquêtes de la matière, de la science ou de l'art sont le fruit de décisions qui comportaient des risques. Partout, l'homme s'est trouvé coincé entre la peur, qui le retenait au bord de l'inconnu, ou l'audace, qui lui conseillait de jouer pile ou face, avec ses biens et son bonheur pour enjeu suprême. C'est ce qui explique que les grandes existences soient si peu nombreuses, car la masse obéit bien plus à son instinct de conservation et de sécurité qu'à la mystérieuse attraction vers l'espace infini où l'on trouve parfois la mort, mais où, plus souvent, on atteint à la grandeur et à la création.

L'instinct de conservation est commun à tous les vivants, depuis le ver de terre jusqu'à Bernard Shaw, depuis Mickey Mouse jusqu'à Pinocchio. Sans lui aucune espèce, aucun individu, ne pourrait durer. Mais lorsque cet instinct de conservation est cultivé, entretenu, hypertrophié au point de se transformer en superstition de la peur, il est temps de réagir contre lui avec toute sa raison et toute son énergie, car il met en danger le progrès et la liberté de l'homme.

* * *

Il existe, dans le monde, des puissances établies, des classes, des castes privilégiées qui tiennent pour leurs pires ennemis ce progrès et cette liberté. Elles cherchent à tenir bien en place, immobiles, inchangées, toutes les choses qui les ont faites et qui les supportent. Elles font en sorte que le plus grand nombre des hommes qui leur sont soumis et sur qui elles s'appuient en les écrasant refusent le combat de la vie et qu'ils ne bougent pas. Car, vous savez, quand on s'appuie sur quelque chose, il ne faut pas que ça bouge, autrement on f… le camp par terre. Mettant à profit une psychologie vieille comme le monde, celle de toutes les tyrannies qui ont paru au cours des siècles, ces castes exacerbent l'instinct de la conservation par l'appareil du châtiment temporel ou éternel et peuvent ensuite régner en maîtres. Parmi les manifestations les plus typiques de cette politique de terreur, au cours de l'histoire, on citera volontiers le crucifiement de Jésus sur le Golgotha, les chrétiens livrés aux lions par les empereurs romains, ou bien les hérétiques livrés au bûcher par l'inquisiteur Torquemada. Dans l'époque contemporaine, les États totalitaires nous offrent des exemples plus horribles. Un système politique qui se maintient par des assassinats en masse, comme les purges et la guerre biologique, veut avant tout frapper l'imagination des peuples asservis : crois ou meurs ! On se souvient que l'étonnante carrière dictatoriale de Mussolini a commencé par le meurtre et la prison ; on se souvient surtout de ce jour de juin 1934, alors que Hitler, Goering et Himmler, les nouveaux maîtres de l'Allemagne, arrêtèrent tous ceux de leurs anciens amis qu'ils redoutaient, tous ceux des citoyens dont ils n'étaient pas sûrs, et les massacrèrent froidement. Toute l'Allemagne eut peur. Ensuite, la Gestapo fut la loi suprême. Il ne restait plus à Goebbels et à Rosenberg qu'à employer, pour corrompre la nation, la deuxième arme favorite de tous les tyrans : la propagande, faite sous le nom d'éducation, et le mensonge, sous le nom de doctrine et de mystique. C'est la vieille méthode, qui a si bien réussi depuis les temps les plus reculés de l'histoire. Il n'y a pas de doute que les pharaons, deux ou trois milles ans avant l'ère chrétienne, connaissaient et pratiquaient ce truc qui leur permit de régner très longtemps. La peur et le mensonge sont les deux principaux piliers de l'absolutisme temporel ou… soi-disant éternel.

Plusieurs années avant la présente guerre, les chefs du fascisme essayèrent sur les nations démocratiques la politique de peur et de chantage, qui avait si bien réussi chez eux. Mussolini cherchait à impressionner M. Chamberlain, de parapluvieuse mémoire, en se faisant photographier sautant, ventre gonflé, sur un faisceau de baïonnettes. De son côté, Hitler hurlait dans tous les micros que ses troupes d'élite, ses avions et ses blindés étriperaient quiconque résisterait à la sainte Allemagne. Et cela a réussi, un temps, puisque cela lui a donné l'Autriche, puis Munich ou plutôt la Tchécoslovaquie, puis, enfin, le massacre de toute l'Europe. La peur a engendré dans le monde les *appeasers,* c'est-à-dire ceux qui donnèrent l'Éthiopie à l'Italie, la Mandchourie au Japon, l'Espagne aux franquistes, la Tchécoslovaquie à Hitler et l'Europe à la destruction.

* * *

Maintenant, quittons l'Europe et approchons-nous du fleuve Saint-Laurent. Si nous en croyons l'histoire telle qu'on nous l'enseigne dans nos écoles de Fierté Nationale (on a chaque année une semaine de ce nom-là), les Laurentiens sont un peuple de Héros. La première strophe d'*Ô Canada* nous montre Baptiste le front ceint de brillants exploits. La croix d'une main et une épée de l'autre, ce pays, dont l'histoire est une épopée, protège virilement nos foyers et nos droits. Chose certaine, nos pères étaient de magnifiques aventuriers et de rudes soldats.

Dans le petit village où je fus élevé, nous avions pour voisine une bonne vieille fille, légèrement moustachue, qui chantait, une ou deux fois le jour, une chanson populaire avec ces mots :

Ah ! Ah ! Ah ! les filles du Canada
Ell'z'ont du poil aux pattes comme
[de vieux soldats.

Ce chant nous amusait beaucoup. Plus tard, je compris le sens figuré du refrain qui nous avait fait rire autrefois, et, comme j'étais encore un chaud nationaliste, je me convainquis que les Laurentiens n'avaient peur de rien et cherchaient d'instinct tous les beaux risques. « Avoir du poil aux pattes », c'est ça. En fait, les Canadiens de langue française ont un grand courage physique. Il faut aller à la campagne, chez nos colons, pour s'en rendre compte. À plus de quatre-vingt milles d'ici, dans mes chères montagnes, j'ai pour voisins une famille de colons, l'homme, la femme et quatre enfants qui vivent dans une cabane en « bois rond » de vingt pieds carrés et qui tirent leur subsistance d'une terre rocheuse, sablonneuse, ingrate. Ce que ces gens abattent de travail en une saison, est incroyable. Il y a le bois de chauffage, il y a les labours, il y a les semailles, il y a les courses après le troupeau égaré dans la forêt, il y a les voyages au village, il y a les clôtures défoncées, il y a l'inondation, il y a la sécheresse, il y a les foins et les récoltes, et il y a mille et une corvées qui sont la tâche de l'homme. Et pour la femme, il y a les enfants, il y a les repas, il y a les vaches, il y a l'eau à la fontaine — souvent asséchée au cours de l'été —, il y a le petit malade, il y a le blanchissage, le reprisage, les moustiques et tout… J'ai vu cette femme-là atteler le cheval pour aller chercher l'eau au tonneau dans un lac, et même l'automne dernier réparer elle-même, avec son gars de dix ans, des pagées de clôture. Tout ce monde-là a le sourire et la chanson aux lèvres. C'est ce que j'appelle le courage physique. Cette race de Maria Chapdelaine est innombrable. C'est dommage que cette qualité précieuse, qui tôt ou tard fera des nôtres un grand peuple, ne soit pas toujours traduite, dans notre bourgeoisie, par le courage moral et intellectuel. Si je ne regarde que l'élite de chez nous, je dois dire que nous sommes un peuple dominé par la peur. La peur de quoi? De qui? Je vois sur vos visages un doute, une sorte d'ironie dans vos yeux. Vous pensez : lui non plus n'osera pas nous dire de qui nous avons peur. Ne soyez pas trop impatients : ça viendra.

Or, chez nous, ce ne sont pas les gouvernements précisément qui nous effraient le plus. Ils ne sont pas la puissance même. M. King à Ottawa, et M. Duplessis, à Québec, se font conter pouille assez souvent et dans tous les milieux, sans que, pour cela, les censeurs et accusateurs du pouvoir ne se réveillent le lendemain en prison ou ne se balancent à la lanterne. Et, Dieu merci, nous n'aurons pas peur de l'État aussi longtemps qu'un très grand nombre de personnes, disons la majorité, pourra vivre en dehors des moyens fournis par l'État.

Les puissances d'argent, les trusts, les combines, les cartels, les monopoles passent, de l'avis des hommes de la gauche, pour les pires tyrans; mais à la réflexion, on s'aperçoit qu'ils nous laissent libres. Ils ne sont pas la puissance suprême. Les plus virulentes attaques ont été portées, chez nous comme ailleurs, contre les dirigeants du commerce et de l'industrie, contre les détenteurs de cette arme importante qu'on appelle le capital. Tous les accusateurs sont en liberté. Nombre d'entre eux sont plus prospères, vivants et agressifs que jamais, et l'argent qu'ils ont pour livrer bataille leur vient des capitalistes qui les emploient sans idée de revanche. De ce côté-là donc, les Canadiens ne sont pas muselés par la peur.

En fait, si l'on prend l'ensemble des tribuns politiques, des journaux, des publicistes, et des particuliers, on peut dire que les Canadiens de langue française n'ont pas tous peur du gouvernement, ni des puissances économiques, ni des bourgeois, grands ou petits, ni de leurs chefs temporels, ni même des Anglais, ni de l'Empire britannique. Ils les ont tous critiqués, et cela, par moments, avec une liberté telle que l'on se serait cru dans le paradis du libéralisme. Notez bien, quand on a formulé ces critiques, on n'a pas pris de grandes précautions oratoires : on a donné les noms, les précisions, on a été droit au but. On n'avait pas peur.

* * *

Alors je reviens à la question. De quoi avons-nous peur ? Eh bien, nous avons peur de la puissance suprême, de la puissance à laquelle vous pensez tous en ce moment et que personne d'entre vous n'ose nommer. Dans tous les pays où il existe une autorité arbitraire et absolue, on ne nomme jamais cette autorité que pour la louer. Dans le blâme, elle demeure innommable. Il faut des présomptueux insensés, comme mon ami Damien Bouchard… ou comme votre humble serviteur, pour se mettre la tête, volontairement, sous le couperet de la guillotine. La seule puissance qui, dans cette partie du Canada, fait trembler tout le monde, c'est la puissance cléricale. Dans Québec, elle est incontestablement la puissance suprême. Pesez bien les mots : ce n'est pas la religion précisément, pas même l'Église, devant laquelle il faut s'incliner, non, je dis puissance cléricale. Ne vous hâtez pas de me traiter d'anticlérical. Nos concitoyens les plus éclairés souhaitent la venue du jour où l'éducation plus large et plus raisonnée permettra à la majorité de faire la distinction entre cléricalisme et religion, entre l'Église et un clergé nationaliste, entre une activité purement morale et une activité sociale, entre un apostolat pur et désintéressé et un zèle inspiré pour des fins politiques, entre l'autorité spirituelle et la domination économique. Autant j'ai de respect pour l'Évangile et les disciples agissants et sincères du Christ, pour ces milliers de pasteurs qui distribuent la charité, le pardon, l'espoir d'un monde meilleur, autant je redoute l'excès de privilèges et d'influence qu'exercent à leurs fins personnelles ou de caste des hommes oublieux de cette parole de Jésus, la veille de sa mort : « Mon royaume n'est pas de ce monde. » Pour dire ces vérités, on nous accuse d'anticléricalisme. Nous ne sommes pourtant que des laïcs traqués qui défendent leur liberté et leur peau. Du moment que l'on admet les dogmes contenus dans les dix commandements de Dieu et l'Évangile, que l'on recommande la morale universelle, indiquée dans l'énumération des sept péchés capitaux et que l'on proclame la religion comme le grand idéal humain, il devrait être non seulement permis, mais recommandable et louable de discuter avec franchise un problème qui intéresse au plus vif chacun des trois millions de Canadiens de langue française vivant en cette province. Or, ces trois millions d'hommes sont dominés par la peur. Savez-vous pourquoi ? Dans tout ce que je vais vous dire, vous chercheriez vainement une attaque contre la religion, le dogme, la morale et même le clergé en tant que représentant de l'idéal divin sur la Terre. Tous les mots ont été pesés et je suis tranquille là-dessus.

* * *

Le phénomène de la puissance excessive se produit chez tous les peuples et dans toutes les sociétés où existe une caste jouissant de tous les privilèges, exerçant tous les droits et existant non pas en marge de la loi, mais au-dessus de la loi commune. La présence d'une telle caste est à la base même de tous les fascismes du monde. Quels que soient les services rendus, dans le passé, par une telle classe, il ne faut à aucun prix que le sentiment de reconnaissance conduise à la perte de nos libertés les plus précieuses. Ce serait une dette vraiment trop lourde à payer. Vivre dans la peur, c'est vivre sans liberté. Ce ne sont pas ceux qui exercent ces pouvoirs que je blâme. À leur place, nous n'aurions pas agi autrement qu'eux. Je crois que l'histoire n'offre pas d'exemples de classes privilégiées qui se soient dépouillées d'elles-mêmes et volontairement. Les plus condamnables sont ceux d'entre nous qui nourrissent une peur superstitieuse et qui, par cette peur même, fortifient sans cesse les positions déjà trop fortes de la classe.

Permettez-moi de préciser : Quand un gouvernement adopte des lois imparfaites, parfois absurdes, dans le seul but de plaire à la puissance cléricale, il n'est pas libre : il a peur ;

Quand ce même gouvernement recule devant l'adoption de certaines mesures essentielles au progrès, parce qu'il importe de ne pas déplaire au *power behind the throne,* il n'est pas libre : il a peur ;

Quand nos quatre-vingt-dix députés n'ont jamais le courage de se lever, en Assemblée législative, pour réclamer des réformes contraires à l'opinion cléricale, parce qu'ils mettraient leur siège en péril, ils ne sont pas libres : ils ont peur ;

Quand un médecin, un avocat, un notaire, un industriel, un marchand ou tout autre dont les moyens de vie dépendent de la population catholique et française ne diront jamais publiquement leur pensée, ne montreront jamais au grand jour leur esprit libéral, ils ne sont pas libres : ils ont peur ;

Quand les quelque quarante à cinquante mille Canadiens de langue française qui pensent exactement comme nous sur les problèmes essentiels, sur la liberté de pensée, de conscience, de foi et de parole, se croient obligés de se cacher comme des taupes, de se soumettre servilement à un tas de pratiques qui leur répugnent, afin de ne pas être menacés dans leur situation et leurs biens, tous ces gens-là ne sont pas libres : ils ont peur.

Il n'y a pas que des lâches parmi tous ces gens : il y a des braves, il y a des durs, il y a des lutteurs. Certains d'entre eux ont, dans la vie publique, fait de belles et rudes batailles ; d'autres, à l'occasion, feraient face à des régiments entiers. Il faut donc qu'il y ait, au-dessus de tous, une force terrifiante, dont les coups peuvent être impitoyables.

* * *

Ce n'est nullement attenter à la religion et à la morale que de dire : cette grande force, on la trouve à la fois éparse et ramassée à tous les degrés de notre vie politique, sociale, économique et individuelle. Elle se tient à la porte de toutes les écoles, les hautes et les petites, et, à l'entrée, elle y marque de son sceau tous les débutants de la vie ; elle se tient sur chaque siège d'instituteur et d'institutrice; elle tient la clef de chaque université et de chaque faculté universitaire, où elle impose sa loi ; seule et sans concurrence, elle distribue à la jeunesse l'idée, la pensée, la conception de la patrie et sa philosophie de la vie ; seule encore, elle revendique le droit d'être présente, sans aucune idée de neutralité, à toute association, à tout groupe, à tout mouvement composé de Canadiens parlant français ; seule elle forme le cœur et l'âme d'au moins quatre-vingt-dix pour cent de toutes les sociétés de chez-nous, sociétés qu'elle a d'ailleurs organisées elle-même ; elle influence presque tout le corps médical, par la possession ou le contrôle de la plupart des hôpitaux, elle dirige par voie directe ou indirecte la majorité des clientèles, soit professionnelles, soit commerciales, soit éducatives, et, par là, elle tient à sa merci quiconque, chez nous, fait affaire avec le public ; elle est l'invisible bâillon de presque toute la presse d'expression française, parce que d'effectives campagnes de désabonnements suivraient invariablement toute expression écrite d'opinions qui la heurteraient de front; elle s'est emparée d'une partie de la jeunesse ouvrière en l'enfermant dans des cadres, de même qu'elle a encadré les travailleurs adultes par ses syndicats; elle tient en respect des directeurs de banques que nous connaissons, à cause des affaires considérables d'argent qu'elle transige par leur intermédiaire; dans l'ensemble, elle a acquis, sur tout le territoire, qui est immense, tant de biens, meubles et immeubles, qu'elle possède sans conteste une richesse matérielle supérieure à n'importe quel monopole de l'Amérique du Nord. Elle échappe à l'impôt du sang et à l'impôt d'argent; elle n'est pas soumise, dans la pratique, à la loi des tribunaux; par son droit de taxer, elle constitue un État dans l'État.

* * *

Et c'est pour cette raison — cela n'a rien à voir avec la religion elle-même ni la morale — que la province de Québec est dominée par la peur; c'est pour cette raison, par conséquent, que tant de nos libertés sont étouffées. Quand les gens se croient menacés de la perte d'une situation, d'un emploi ou d'une clientèle, ou sont sous le coup d'un boycottage systématique ou d'une campagne générale de dénigrement chaque fois que leurs vues ne sont pas agréées en haut lieu, eh bien, on comprend qu'il soit difficile de résister à l'instinct de conservation.

* * *

Mais il ne faut à aucun prix que tous les citoyens se résignent de façon définitive à un état de choses qui constitue un danger pour la personne humaine et qui, dans l'avenir et de plus en plus, peut être une cause de stérilité morale, intellectuelle et nationale. Il existe, dans notre province, des milliers de personnes qui pensent exactement comme nous et qui, dans le secret de leur cœur, nous applaudissent, nous envient et nous aiment. Sera-t-il dit que nous ne trouverons pas, dans cette foule, une centaine de justes décidés à vaincre la peur et à remplir leur devoir de libération ?

Depuis des siècles, il est de tradition, dans toutes les sociétés humaines, que des groupes se forment, dans un but de défense, contre toute puissance qui devient exorbitante et est, par le fait, une menace à la liberté et au progrès. Par le jeu mystérieux de l'équilibre des forces, il arrive que l'autorité, excellente en soi, voire nécessaire, finit par s'éteindre par ses excès mêmes. C'est la loi de la vie. Mais quand les principaux intéressés n'ont ni la vigueur, ni le courage, ni la vision voulus pour travailler au rétablissement de cet équilibre, l'oppression dure beaucoup plus longtemps et, à la fin, les victimes ne se comptent plus.

Je vois une question dans vos yeux. « Que voulez-vous que nous fassions ? » me demandez-vous. Je vous demande simplement de savoir prendre des risques et de vous tenir debout. Quand vous possédez une vérité et que vous croyez que cette vérité doit être dite, vous n'avez pas le droit de la remplacer par un mensonge intéressé. Quand vous voyez qu'un principe sacré a été violé, qu'un homme est dégommé de ses fonctions pour avoir légitimement usé de sa liberté de parole, votre devoir est de protester hautement et en masse. Quand un pauvre diable est chassé d'un poste important pour avoir prononcé des propos dits hérétiques ou écrit un mauvais roman, c'est encore votre devoir de vous porter à sa défense ; quand le gouvernement et les laïcs sont éliminés de toute autorité ou initiative en matière d'éducation, vous devez réclamer inlassablement la part qui revient à l'État, pouvoir premier, et à vous-même en tant que citoyen, contribuable et père de famille. Il ne faut pas que sur cette terre d'Amérique, citadelle de toutes les libertés, centre du monde démocratique, ce soient les descendants de la France qui aient le plus lourd fardeau de peur et le moins de libertés ; il ne faut pas qu'il soit dit, sur cette terre libre, qu'il suffit de parler français pour tomber dans la servitude. Au milieu d'un océan de cent quarante-cinq millions d'hommes et de femmes de langue anglaise, le français n'a de chances de survivre que s'il devient le synonyme d'audace, de culture, de civilisation et de liberté.

* * *

L'audace, contraire de la peur, pousse aux risques peuplés de dangers, à l'aventure vers l'inconnu, à la création ; la culture ne s'acquiert vraiment que dans un milieu où l'on peut nourrir son esprit à toutes les sources fécondes ; la civilisation ne se perfectionne que chez les hommes assez courageux pour secouer un joug, assez bons pour pratiquer la loi : « Aimez-vous les uns les autres » ; la liberté ne s'accommode pas d'une discipline qui a pour devise : « Chez d'autres, on vous apprend comment penser ; chez nous, on fait mieux : on vous apprend quoi penser. » On vous dicte quoi dire. Et je ne vous parle pas du domaine matériel, commerce, industrie, finance, où la loi de la peur est un obstacle, et où l'habitude du risque est la condition même du succès.

Vous me demandez encore de préciser. Je vous réponds : sachez vous organiser, vous unir, si peu nombreux soyez-vous, afin que vous aussi vous puissiez présenter un front uni. Comment voulez-vous marcher, si vous cédez encore à la peur ? Et quel conseil vous donnerai-je si vous préférez vous réfugier dans la peur ? Choisissez-vous un chef et allez de l'avant. Vous serez alors surpris du nombre de ceux qui suivront le chef et la troupe.

* * *

On commémorait ces jours-ci, l'anniversaire de la mort de La Fontaine. Le fabuliste fut, je crois, avec Molière, l'homme le plus intelligent de son époque. À ce point de vue, je le mettrais même au-dessus de Corneille, de Racine et peut-être de Bossuet. Or, La Fontaine fit un jour une fable intitulée « Conseil tenu par les Rats ». Ceux-ci s'assemblèrent pour deviser des moyens de combattre le chat Rodilardus :

Dès l'abord, leur doyen, personne fort
[prudente,
Opina qu'il fallait, et plus tôt que plus tard,
Attacher un grelot au cou de Rodilard ;
Qu'ainsi, quand il irait en guerre,
De sa marche avertis, ils s'enfuiraient
[sous terre [...].
Chacun fut de l'avis de monsieur
[le doyen [...].
La difficulté fut d'attacher le grelot.
L'un dit : « Je n'y vas point, je ne suis
[pas si sot » ;
L'autre : « Je ne saurais. » Si bien que
[sans rien faire
On se quitta. [...]

Il se peut qu'en sortant d'ici, personne, absolument personne n'ait l'intention de faire quoi que ce soit pour la libération de trois millions de nos frères. Mais le grelot a été attaché par quelques-uns d'entre nous qui portent encore les cicatrices des morsures reçues. Quant à moi, je suis payé pour le savoir ; du moins, j'entends souvent autour de moi sonner le grelot de ceux qui me cherchent pour me terrifier, me griffer ou m'abattre.

Je vais vous faire une confidence : il y eut un jour, dans ma vie, où je n'avais plus rien à perdre, rien ! Pour la première fois, je me sentis libre et fort. N'ayant plus rien à perdre, je n'avais plus peur enfin !

Le malheur, c'est que la plupart des esprits libérés, en notre province, ne se libèrent vraiment qu'à un âge où ils sont établis, où ils ont des emplois ou une clientèle à conserver et où les responsabilités de la famille se sont ajustées aux exigences de la carrière. Au mouvement libérateur, il manque la jeunesse, et elle manquera quelque temps encore. Au moins quatre-vingt-dix-neuf et demi pour cent des jeunes appartenant à l'élite, c'est-à-dire aux familles d'une éducation dite supérieure, sont solidement encadrés dans les institutions, enseignements et associations que l'on sait. Depuis la naissance jusqu'à l'âge de vingt-deux, vingt-cinq ans et plus, à de rares exceptions près, ils subissent un envoûtement clérical dont on ne peut avoir une idée en aucun autre pays du monde. Passé vingt-cinq ans, le jeune homme commence généralement à penser par lui-même, réviser les enseignements reçus, entrevoir des horizons neufs, jeter du lest, sortir de sa chrysalide; mais les erreurs et impressions d'enfance ne tombent pas toutes à la fois. Souvent, elles ne tombent jamais complètement. Elles ne s'en vont que morceau par morceau, en sorte que les années passent, et ce n'est qu'après la trentaine qu'on devient réaliste et qu'on songe à brûler des idoles. Il est déjà tard, bien tard. Les mouvements nouveaux sont la tâche de la jeunesse. La jeunesse seule, dans l'ensemble, peut fournir assez d'élan, d'enthousiasme, d'illusion et de désintéressement pour collaborer activement et avec éclat au renouveau, c'est-à-dire au rajeunissement d'un peuple. Savez-vous pourquoi? Au point de vue matériel, la jeunesse n'a généralement rien à perdre. Hélas! cet élan, cet enthousiasme, ces illusions généreuses, ce désintéressement, chez les jeunes de l'élite, ont été canalisés de telle sorte qu'ils servent des fantômes et contribuent puissamment à maintenir le peuple dans un état de vieillesse, c'est-à-dire, dans les mythes de la superstition et le culte des préjugés raciques. Depuis quelques années, dans Montréal surtout, des maîtres de l'enseignement, fort nombreux, et de faux historiens à la Groulx ont fait un effort inouï pour inspirer à cette jeunesse un fanatisme déprimant et dangereux, la promener sans cesse dans le cimetière de l'histoire et des idées mortes, la tenir dans l'envoûtement d'une puissance d'oppression aussi dominatrice, aussi « totalitaire » au point de vue de l'esprit que n'importe quel pouvoir fasciste ou nazi. C'est ce qui fait que les idées jeunes, les idées révolutionnaires, les idées de liberté et de progrès sont obligées de se réfugier parmi les hommes d'âge mûr, qui ont peur parce qu'ils ont trop à perdre, et chez les vieillards, qui n'ont plus ni le goût ni la force de lutter.

* * *

Malgré tout, un certain nombre de jeunes, à cause d'une extraordinaire vigueur de caractère et de leur intelligence vraiment supérieure, échappent à l'étreinte. Je suis le confesseur et le confident de plusieurs d'entre eux. Et parmi les adultes libérés, on ne me fera pas croire qu'il sera toujours impossible de trouver deux à trois cents types restés jeunes et déterminés à résister ouvertement aux privilèges excessifs de la caste. Dans ce champ d'action, donnez-moi trois cents hommes décidés et je vous promets un nouveau Thermopyles !

Je songe aussi à ces milliers de jeunes hommes et de jeunes filles qui se sont engagés dans le service actif, en cette terrible guerre, et qui découvrent, au loin les horizons du monde. Quand ils nous reviendront, ils auront parcouru l'Europe, l'Afrique, l'Asie, navigué sur toutes les mers, coudoyé des représentants de toute origine nationale et de toute croyance, connu précocement des expériences qui mûrissent le jugement et orientent la pensée, pris part en un mot au plus grand drame de l'histoire universelle. Pensez-vous que ces jeunes reviendront avec les mêmes fantômes, nourriront les mêmes illusions, professeront les mêmes idées ? Déjà, dans les lettres que nous recevons d'eux, nous voyons percer le mépris pour ceux des nôtres, qui, de l'arrière, s'acharnent en de misérables questions de privilèges, en des batailles de « races », en un sot orgueil de famille alors que le sort de l'humanité se joue au bord d'un fleuve de sang. Ces jeunes-là, de retour en Laurentie, apporteront avec eux des vérités, des lumières, vérités et lumières qui ne seront sûrement pas mises au service de quelques privilégiés dont le principal souci, au cours de la catastrophe universelle, fut d'empêcher plusieurs milliers de jeunes de sortir de la réserve et de prendre contact avec l'humanité. Nos héros auront laissé, sur les champs de bataille, la peur.

J'ai donc le ferme espoir que le jour viendra où l'on aura remplacé le cléricalisme par la religion. De grâce, ne dites pas que c'est là un vain espoir. Il m'arrive parfois de rencontrer des amis qui me disent en haussant les épaules : « Le combat est inutile. Nous n'avancerons jamais à rien. » Ceux-là n'ont pas lu la Bible. Autrement, ils sauraient qu'il suffit d'une petite pierre détachée du haut d'une montagne pour ébranler le colosse. La Bible nous apprend en effet ceci : Le roi Nabuchodonosor vit en songe, dressée devant lui, une statue immense et splendide. La tête de la statue était d'or fin ; la poitrine et les bras, d'argent ; le ventre et les hanches, d'airain ; les jambes, de fer ; les pieds, d'argile. Comme le roi regardait, une pierre se détacha d'une hauteur, roula en accélérant sa vitesse, puis frappa les pieds, qui étaient d'argile, et les brisa… Et la grande statue s'écroula. La tête d'or roula au loin.

* * *

Il se peut que dans la Laurentie, pays aux longs hivers, une petite boule de neige roule lentement vers la statue à la tête d'or et aux pieds d'argile. La boule de neige ramasse au passage des cailloux, des pierres, des mottes de terre. Elle devient si lourde qu'elle déracine des arbres. Puis elle entraîne avec elle les luttes du passé, celle de l'Institut canadien, celle de sir Wilfrid Laurier, elle cueille même en passant la pierre tombale du citoyen Guibord, célèbre par ses déménagements en Terre Sainte, elle s'enrichit de tous les numéros du *Pays* et du *Jour*, elle est toute proche, la voici qui s'incorpore l'Institut démocratique et qu'elle va droit, tout droit, comme une montagne en marche, vers le colosse aux pieds d'argile et à la tête d'or. Et savez-vous ce qui arrive ? Savez-vous aujourd'hui, ce n'est pas seulement nous que la peur fait trembler : le colosse lui aussi a peur. À preuve ces remparts d'associations sans nombre dont il s'entoure pour barrer la route à l'avalanche. Toutes ces sociétés cléricales aux noms divers, tous ces cercles cléricaux qui encadrent chaque métier, chaque carrière, chaque travail, ce sont autant de sacs de sable au bord des tranchées profondes qui défendent le colosse. La boule de neige ne recule pas, car la pente l'entraîne avec la force d'un torrent au printemps.

Que si demain, le colosse des influences et des privilèges excessifs était démoli, la peur cessera dans les âmes libres, mais il faudra que des mains pieuses aillent recueillir sur la terre couverte de débris, la tête d'or, dont on ne refera pas un veau d'or, mais que nous mettrons sur le buste d'une nouvelle statue de la liberté : elle représentera, brillante, l'idéal humain et la religion universelle.

Au début de cette guerre, l'un des plus grands hommes d'État du monde contemporain, formulait par ces mots nos principaux buts démocratiques : Liberté de parole — Liberté de croyance — Libération du besoin — Libération de la peur.

J'ai nommé le regretté Franklin Delano Roosevelt. Une grande âme, un grand cœur, un vaste cerveau. Il mettait la libération de la peur au nombre des quatre libertés. C'est donc qu'il y attachait une importance extrême. Toute sa vie, il avait lutté contre la peur et avait vaincu. Il y a douze ans, il avait fait la déclaration suivante : « La seule chose à craindre, c'est d'avoir peur. » Le courage dont il a fait preuve jusqu'à la fin démontre qu'il avait été fidèle à son vœu de braver tous les dangers chaque fois que la vérité et l'intérêt public l'exigeaient.

Roosevelt doit nous servir d'inspiration et de guide. Ici, je m'adresse particulièrement à quelques milliers d'élus qui, dans le fond de leur cœur, voudraient libérer leurs compatriotes des entraves du passé pour les orienter vers l'avenir, dans le remous puissant de la civilisation nouvelle qui s'élabore dans le nord de l'Amérique. Je leur dirai ceci :

N'ayez pas peur du risque. La vie qui se sera écoulée, toute unie, dans la laine des molles sécurités et des satisfactions purement végétatives ne vaut pas la peine d'être vécue. Quand vous serez parvenu au sommet de cette vie, la seule que vous connaissiez, vous serez d'autant plus heureux, plus satisfaits de vous-mêmes, que vous aurez pris et réussi plus de risques et que, par conséquent, vous aurez semé autour de vous des ferments plus féconds. Si vous êtes bien trempés, en d'autres termes, si vous êtes d'essence divine, vous ne pouvez pas, sans mentir à votre nature, sans déjouer votre propre destin, employer toute votre énergie seulement à conserver ce qui existe, à tenter vainement de ressusciter des morts : votre nature, votre destin, c'est de créer. Le désir d'infini qui vous tourmente vous pousse invinciblement vers la terre promise. Vous devez créer. On ne crée jamais sans douleur et sans risque. La peur n'a jamais rien créé. Alors, allez de l'avant. Vous pouvez vous tromper, revenez dans la bonne voie et marchez encore. Et puis, quiconque agit commet des fautes. Il faut se rappeler le mot d'un ancien gouverneur général du Canada : « Mieux vaut se tromper qu'être mort. » — *It is better to be wrong than to be dead.* — Il faut que, chez vous, la peur de vivre soit remplacée par la joie de vivre !

Mais souvenez-vous de ceci : la joie de vivre ne consiste pas à obéir à des instincts mauvais et à des passions malsaines. Instincts et passions sont des forces de la nature qu'il faut diriger vers le bien, vers l'action belle, utile et bonne. Il y a infiniment plus de joie à faire le bien qu'à faire le mal. Aller contre cette loi, c'est travailler contre la grande loi de l'évolution humaine et c'est, par conséquent, se détruire soi-même. La désolation inouïe qui couvre le monde actuel provient de la violation brutale de tous les principes moraux qui sont la condition essentielle du progrès véritable.

La culture, l'érudition, le raffinement, la science, les arts même ne sont pas la civilisation : ils n'en sont que les accessoires. La civilisation est, par essence, une acquisition morale. On peut être un génie scientifique, littéraire, industriel, et en même temps n'être qu'un sauvage. Mais on ne peut pas être un saint François d'Assise sans être en même temps un grand civilisé. Seul de tous les vivants de la terre, l'homme a évolué dans le sens moral. Seul il a appris que la valeur, le charme, la sécurité et l'idéal de toute société reposent bien moins sur les systèmes économiques et sur les régimes politiques que sur les grandes et nobles vertus de l'homme : l'amour, la pitié, la tolérance, la compréhension mutuelle, l'entraide, le respect des droits, du bien-être et de la liberté du prochain ; seul il a attaché à la personne humaine un prix infini et seul encore il s'est fait un tel idéal de perfection qu'il ne sera satisfait que le jour où il aura monté si haut, si haut, qu'il se sentira près de la divinité. C'est pour cette raison que j'ai une admiration sans bornes pour ces hommes et ces femmes sincères, qui, après avoir renoncé à tous les biens de ce monde, ne veulent accomplir d'autre mission que d'entraîner les hommes vers la seule richesse incorruptible, celle du cœur et de l'esprit. Telle est l'œuvre nécessaire, unique, des représentants du Christ et de son Évangile, et cette œuvre-là, il faut la défendre comme le souverain bien de l'humanité.

Cet hommage que je rends à l'esprit de religion, je refuse de le rendre au cléricalisme, qui est le contraire de l'esprit de religion.

Nous sommes, en ce moment même, à la fin d'une guerre où des millions de jeunes hommes, les plus braves, les plus sains, les plus généreux, ont donné leur vie pour garder aux survivants, à chacun de nous, la liberté de penser, de croire, d'agir, de parler. C'est grâce à leur sacrifice que j'ai pu user, ce soir, de la liberté de dire tout haut ce que vous pensez tout bas. En revendiquant cet honneur, j'ai non seulement exercé un droit sacré, mais j'ai accompli un devoir envers des millions de héros et de saints qui viennent de mourir pour nous.

Jean-Charles Harvey

Sources

Jean-Charles Harvey, « La peur. Conférence de Jean-Charles Harvey à l'Institut démocratique canadien », *Le Jour,* 12 mai 1945.

Jean-Charles Harvey, « La peur », *Feuilles démocratiques,* vol. 1, n° 1, septembre 1945.

Jean-Charles Harvey, *Fear,* éditeur inconnu, 1945.

* * *

Jean-Charles Harvey, *Notes autobiographiques* (version anglaise), p. 371-375, Fonds Jean-Charles Harvey, Université de Sherbrooke.

* * *

André-G. Bourassa et Gilles Lapointe, *Refus global et ses environs, 1948-1988,* Montréal, L'Hexagone/ Bibliothèque nationale du Québec, 1988.

Patrice Dutil, *L'Avocat du diable. Godfroy Langlois et la politique du libéralisme progressiste à l'époque de Laurier,* Montréal, Éditions Robert Davies, 1995.

Marcel-Aimé Gagnon, *Jean-Charles Harvey. Précurseur de la Révolution tranquille,* Montréal, Beauchemin, 1970.

Yves Lavertu, *Jean-Charles Harvey. Le combattant,* Montréal, Boréal, 2000.

Mason Wade, *Les Canadiens français de 1760 à nos jours,* Ottawa, Cercle du Livre de France, tome II, 1963.

Remerciements

Le préfacier désire remercier le Conseil des Arts du Canada pour l'appui financier lui ayant permis de poursuivre ses fouilles dans le cadre de ses recherches sur Jean-Charles Harvey. Qu'Axel et Marcel Harvey soient également remerciés pour avoir accepté de redonner au public cette conférence.

Y. L.

Table des matières

Dans la collection « Boréal compact »

1. Louis Hémon
   Maria Chapdelaine
2. Michel Jurdant
   Le Défi écologiste
3. Jacques Savoie
   Le Récif du Prince
4. Jacques Bertin
   Félix Leclerc, le roi heureux
5. Louise Dechêne
   Habitants et Marchands de Montréal au XVIIe siècle
6. Pierre Bourgault
   Écrits polémiques
7. Gabrielle Roy
   La Détresse et l'Enchantement
8. Gabrielle Roy
   De quoi t'ennuies-tu, Éveline ? suivi de *Ély ! Ély ! Ély !*
9. Jacques Godbout
   L'Aquarium
10. Jacques Godbout
    Le Couteau sur la table
11. Louis Caron
    Le Canard de bois
12. Louis Caron
    La Corne de brume
13. Jacques Godbout
    Le Murmure marchand
14. Paul-André Linteau, René Durocher, Jean-Claude Robert
    Histoire du Québec contemporain (tome I)
15. Paul-André Linteau, René Durocher, Jean-Claude Robert, François Ricard
    Histoire du Québec contemporain (tome II)
16. Jacques Savoie
    Les Portes tournantes
17. Françoise Loranger
    Mathieu
18. Sous la direction de Craig Brown
    Édition française dirigée par Paul-André Linteau
    Histoire générale du Canada
19. Marie-Claire Blais
    Le jour est noir suivi de *L'Insoumise*
20. Marie-Claire Blais
    Le Loup
21. Marie-Claire Blais
    Les Nuits de l'Underground
22. Marie-Claire Blais
    Visions d'Anna
23. Marie-Claire Blais
    Pierre
24. Marie-Claire Blais
    Une saison dans la vie d'Emmanuel
25. Denys Delâge
    Le Pays renversé
26. Louis Caron
    L'Emmitouflé
27. Pierre Godin
    La Fin de la grande noirceur

28. Pierre Godin
La Difficile Recherche de l'égalité

29. Philippe Breton et Serge Proulx
L'Explosion de la communication

30. Lise Noël
L'Intolérance

31. Marie-Claire Blais
La Belle Bête

32. Marie-Claire Blais
Tête blanche

33. Marie-Claire Blais
Manuscrits de Pauline Archange, Vivre ! Vivre ! et *Les Apparences*

34. Marie-Claire Blais
Une liaison parisienne

35. Jacques Godbout
Les Têtes à Papineau

36. Jacques Savoie
Une histoire de cœur

37. Louis-Bernard Robitaille
Maisonneuve, le Testament du Gouverneur

38. Bruce G. Trigger
Les Indiens, la Fourrure et les Blancs

39. Louis Fréchette
Originaux et Détraqués

40. Anne Hébert
Œuvre poétique

41. Suzanne Jacob
L'Obéissance

42. Jacques Brault
Agonie

43. Martin Blais
L'Autre Thomas D'Aquin

44. Marie Laberge
Juillet

45. Gabrielle Roy
Cet été qui chantait

46. Gabrielle Roy
Rue Deschambault

47. Gabrielle Roy
La Route d'Altamont

48. Gabrielle Roy
La Petite Poule d'Eau

49. Gabrielle Roy
Ces enfants de ma vie

50. Gabrielle Roy
Bonheur d'occasion

51. Saint-Denys Garneau
Regards et Jeux dans l'espace

52. Louis Hémon
Écrits sur le Québec

53. Gabrielle Roy
La Montagne secrète

54. Gabrielle Roy
Un jardin au bout du monde

55. François Ricard
La Génération lyrique

56. Marie José Thériault
L'Envoleur de chevaux

57. Louis Hémon
Battling Malone, pugiliste

59. Élisabeth Bégon
Lettres au cher fils

60. Gilles Archambault
Un après-midi de septembre

61. Louis Hémon
Monsieur Ripois et la Némésis

62. Gabrielle Roy
Alexandre Chenevert

63. Gabrielle Roy
La Rivière sans repos

64. Jacques Godbout
L'Écran du bonheur

65. Machiavel
Le Prince

66. Anne Hébert
Les Enfants du sabbat

67. Jacques Godbout
L'Esprit du don

68. François Gravel
Benito

69. Dennis Guest
Histoire de la sécurité sociale au Canada

70. Philippe Aubert de Gaspé fils
L'Influence d'un livre

71. Gilles Archambault
L'Obsédante Obèse et autres agressions

72. Jacques Godbout
L'Isle au dragon

73. Gilles Archambault
Tu ne me dis jamais que je suis belle et autres nouvelles

74. Fernand Dumont
Genèse de la société québécoise

75. Yvon Rivard
L'Ombre et le Double

76. Colette Beauchamp
Judith Jasmin : de feu et de flamme

77. Gabrielle Roy
Fragiles lumières de la terre

78. Marie-Claire Blais
Le Sourd dans la ville

79. Marie Laberge
Quelques Adieux

80. Fernand Dumont
Raisons communes

81. Marie-Claire Blais
Soifs

82. Gilles Archambault
Parlons de moi

83. André Major
La Folle d'Elvis

84. Jeremy Rifkin
La Fin du travail

85. Monique Proulx
Les Aurores montréales

86. Marie-Claire Blais
Œuvre poétique 1957-1996

87. Robert Lalonde
Une belle journée d'avance

88. André Major
Le Vent du diable

89. Louis Caron
Le Coup de poing

90. Jean Larose
L'Amour du pauvre

91. Marie-Claire Blais
Théâtre

92. Yvon Rivard
Les Silences du corbeau

93. Marco Micone
Le Figuier enchanté

94. Monique LaRue
Copies conformes

95. Paul-André Comeau
Le Bloc populaire 1942-1948

96. Gaétan Soucy
L'Immaculée Conception

97. Marie-Claire Blais
Textes radiophoniques

98. Pierre Nepveu
L'Écologie du réel

99. Robert Lalonde
Le Monde sur le flanc de la truite

100. Gabrielle Roy
Le temps qui m'a manqué

101. Marie Laberge
Le Poids des ombres

102. Marie-Claire Blais
David Sterne

103. Marie-Claire Blais
Un Joualonais sa Joualonie

104. Daniel Poliquin
L'Écureuil noir

105. Yves Gingras, Peter Keating, Camille Limoges
Du scribe au savant

106. Bruno Hébert
C'est pas moi, je le jure !

107. Suzanne Jacob
Laura Laur

108. Robert Lalonde
Le Diable en personne

109. Roland Viau
Enfants du néant et mangeurs d'âmes

110. François Ricard
Gabrielle Roy. Une vie

111. Gilles Archambault
La Fuite immobile

112. Raymond Klibansky
Le Philosophe et la Mémoire du siècle

113. Robert Lalonde
Le Petit Aigle à tête blanche

114. Gaétan Soucy
La petite fille qui aimait trop les allumettes

115. Christiane Frenette
La Terre ferme

116. Jean-Charles Harvey
La Peur

MISE EN PAGES ET TYPOGRAPHIE :
LES ÉDITIONS DU BORÉAL

ACHEVÉ D'IMPRIMER EN AVRIL 2000
SUR LES PRESSES DE L'IMPRIMERIE AGMV MARQUIS
À CAP-SAINT-IGNACE (QUÉBEC).